Collana di letture graduate per stranieri

diretta da
Maria Antonietta Covino Bisaccia
docente presso l'Università per Stranieri di Perugia

NICCOLÒ MACHIAVELLI

Belfagor

a cura di
Maria Antonietta Covino Bisaccia
Maria Rosaria Francomacaro

EDIZIONI GUERRA

ISBN 88-7715-353-9

Disegni di *Claudio Ferracci*

In copertina:
Luca Signorelli: *L'Inferno* (particolare), Duomo di Orvieto.

Indice

Niccolò Machiavelli

NICCOLÒ MACHIAVELLI

Niccolò Machiavelli nasce a Firenze, nella zona di Santo Spirito, il 3 maggio 1469, terzo figlio di Bernardo e Bartolomea de' Nelli.

Machiavelli comincia gli studi a nove anni con il maestro Matteo, che lo aiuta soprattutto nello studio del latino. In seguito comincerà lo studio della matematica e della musica.

Conosciamo poco della sua vita da giovane: le prime notizie sicure riguardano, infatti, l'inizio della sua vita politica nella città di Firenze.

Nel 1498, a soli 29 anni, Machiavelli diventa Segretario della Seconda repubblica di Firenze, nata in seguito all'arrivo di Carlo VIII re di Francia in Italia; questo re costringe la famiglia Medici, signori di Firenze fino a quel momento, ad abbandonare la città.

Machiavelli vive in un periodo di grande crisi per l'Italia e per l'Europa: l'Italia è divisa e i grandi Stati europei, come la Francia e l'Inghilterra, cercano di imporre il loro potere sugli Stati italiani.

Machiavelli mostra di sapere giudicare bene quest'età di crisi che tocca tutta l'Europa del Rinascimento.

Come Segretario, Machiavelli fa le sue prime esperienze politiche. Viaggia molto per il suo lavoro: Firenze lo manda come ambasciatore presso il Papa, tre volte presso il re di Francia, e presso l'imperatore Massimiliano. Grazie a queste esperienze, Machiavelli scrive le sue prime opere politiche, in cui dimostra di avere idee molto chiare sul governo di uno stato; in particolare, nel *Discorso sopra l'ordinanza e milizia fiorentina* (1507) afferma che ogni stato deve avere un esercito personale in quanto questo è l'unico modo per difendersi dagli altri stati o per rendere più grande il proprio stato.

Nel 1502 Machiavelli sposa Marietta Corsini, dalla quale ha quattro figli, Bernardo, Lodovico, Piero, Guido, e una figlia, Bartolomea.

Nel 1512 la vita di Machiavelli cambia completamente. In quell'anno la famiglia Medici torna a Firenze con l'aiuto della

Spagna e riprende il governo della città. Machiavelli, allora, è costretto a lasciare il suo lavoro e, poiché non ha molti soldi, deve lasciare anche Firenze e andare a vivere con la sua famiglia a San Cassiano, dove possiede una casa in campagna.

Dopo il 1512, lontano dalla vita politica di Firenze, Machiavelli scrive le sue opere più famose. Queste si dividono in opere politiche e opere letterarie.

Le opere politiche più importanti sono i *Discorsi sopra la prima deca di Tito Livio* (1513) e *Il Principe* (1513), dedicato a Giuliano dei Medici. Queste opere contengono il pensiero politico più profondo di Machiavelli. I problemi principali che Machiavelli discute in queste opere sono: le leggi di una repubblica, la funzione del principe, il rapporto tra politica e morale, la necessità di creare in Italia un unico stato.

Tra le opere letterarie più importanti ricordiamo *L'Asino d'oro* (1517), in cui descrive in allegoria la società del suo tempo, la novella *Belfagor arcidiavolo* (1518), il *Dialogo intorno alla lingua* (1518) in cui afferma che il fiorentino parlato è superiore agli altri dialetti parlati in Italia, le opere di teatro, *Clizia* (1525) e *Mandragola* (1518): quest'ultima è una delle opere più belle della commedia italiana del Cinquecento.

Gli studiosi indicano in Machiavelli il primo scrittore in prosa moderno della letteratura italiana; con Machiavelli ha inizio il pensiero politico moderno ed una nuova prosa scientifica: Machiavelli usa un modo di scrivere rapido e veloce, in cui troviamo sia il fiorentino parlato che il latino classico. Questo nuovo modo di scrivere gli permette di esprimere bene e in modo preciso le sue idee politiche.

Quando nel 1527 il governo dei Medici a Firenze cade di nuovo, Machiavelli vorrebbe ritornare a Firenze e riprendere la sua attività politica ma, dopo una breve malattia, muore il 21 giugno di quello stesso anno. Il suo corpo viene portato nella chiesa di Santa Croce a Firenze.

BELFAGOR ARCIDIAVOLO

Questa novella è conosciuta anche con il titolo *Il diavolo che prende moglie*. Fa parte delle opere letterarie di Machiavelli e si colloca tra quegli scritti di impegno minore e di carattere scherzoso.

Infatti in *Belfagor arcidiavolo* Machiavelli riprende il tema della misoginia, cioè quell'insieme di teorie e idee antifemministe che descrivono la donna in termini negativi.

Machiavelli scrive questa novella, come molte altre opere letterarie, durante il periodo in cui i Medici sono di nuovo a Firenze, mentre vive con la sua famiglia a San Cassiano, lontano dai problemi della corte e della politica.

Questa novella è pubblicata solo nel 1549, dunque dopo la morte di Machiavelli.

Ha subito molto successo e in seguito molti autori riprenderanno lo stesso argomento nelle loro opere.

In Francia, nel diciassettesimo secolo, La Fontaine inserisce la novella *Belfagor* nei suoi *Contes* (nell'edizione italiana "Racconti"), e in Italia, negli anni Venti, Ercole Luigi Morselli comincia a scrivere il dramma *Belfagor*, rimasto incompiuto a causa della sua morte e terminato solo nel 1930 da Sillani.

Questa novella ispira anche il compositore musicale Ottorino Respighi, che nel 1923 compone *Belfagor* sul dramma del Morselli.

Luca Signorelli: *L'Inferno,* Duomo di Orvieto.

Belfagor

Legenda:

Il trattino sotto alcune vocali vuole indicare la sillaba su cui cade l'accento tonico che in italiano, di solito, cade sulle penultima sillaba.
In questo testo di livello elementare ripetiamo l'accento tonico anche quando la stessa parola compare più di una volta.

I
Perché Belfagor va nel mondo

Nelle antiche memorie di Firenze leggiamo che un giorno un uomo santo e *onesto,* mentre prega, ha una *visione*: vede moltissime anime di poveri uomini all'*Inferno*, e tutte o la maggior parte *si lamentano* del fatto di avere preso moglie, in quanto questa è la causa che li ha portati alla presente *infelicità,* e cioè all'Inferno.

Minosse, *Padanianto* e gli altri *giudici* dell'Inferno non capiscono il perché di questa situazione. E poiché non credono alle cose che gli uomini dicono contro le donne, e poiché le *lamentele* degli uomini crescono ogni giorno di più, raccontano tutto quello che accade a *Plutone*, che è il loro capo.

Plutone decide di incontrare tutti i principi *infernali* per discutere questo caso in maniera seria e per poi stabilire quale è la cosa migliore da fare per scoprire se gli uomini dicono il *falso* e per conoscere in tutto la verità.

Plutone quindi chiama tutti a consiglio, e dice: "Miei cari, anche se io posseggo questo regno che per volontà del cielo e del destino nessuno può togliermi, e anche se

---

onesto buono, giusto
visione avere una visione, vedere cose che non esistono nella realtà
Inferno luogo in cui dopo la morte, secondo la religione cattolica, vanno le anime delle persone che hanno fatto cattive azioni in vita
lamentarsi non essere contento di qualcosa o di qualcuno, e dirlo
infelicità situazione in cui una persona non è felice
Minosse e Padanianto giudici dell'Inferno
giudice autorità che ha il compito di giudicare
lamentela il continuare a ripetere con tono triste che qualcosa non va bene
Plutone dio che, nella mitologia greca, è a capo dell'Inferno
infernale dell'Inferno
il falso cosa non vera

Plutone chiama a consiglio i principi infernali.

per questa ragione non devo *ubbidire* a nessun ordine né del cielo né della terra, ho ugualmente deciso di chiedere consiglio a voi su cosa fare, poiché penso che è meglio, per le persone che sono più potenti, seguire le leggi e avere rispetto delle idee delle altre persone.

Poiché tutte le anime degli uomini che vengono nel nostro regno dicono che si trovano qui a causa delle loro mogli, e poiché questa cosa *ci* sembra impossibile, temiamo che se giudichiamo sulla base di ciò che affermano gli uomini, gli altri diranno che crediamo a tutto, mentre se non diamo alcun giudizio diranno che siamo troppo buoni e che amiamo poco la *giustizia*.

E poiché il primo è un peccato da uomini leggeri e l'altro un peccato da uomini non giusti, e poiché vogliamo evitare quelle conseguenze che sia dall'uno che dall'altro potrebbero *derivare*, ma non sappiamo come fare, allora vi abbiamo chiamato per avere un consiglio.

E ciò perché pensiamo che questo regno deve avere, anche nel futuro, il rispetto che ha sempre avuto nel passato."

diavolo

Tutti quei principi sono d'accordo con Plutone: il caso è importantissimo; ma, anche se tutti concludono che è necessario scoprire la verità, non sono però d'accordo su cosa fare per scoprirla.

Per alcuni è necessario mandare nel mondo un solo *diavolo*, per altri più di uno,

---

ubbidire fare ciò che altre persone ordinano di fare
ci a noi; Plutone, come tutti i re, usa il plurale invece del singolare quando parla di se stesso (plurale maiestatis)
giustizia l'atto di essere giusti, di giudicare con coscienza
derivare avere origine

sotto forma di uomo, in modo da conoscere di persona la verità. Per molti altri c'è una soluzione migliore: costringere le anime che sono all'Inferno, con vari *tormenti*, a dire la verità. Però la maggior parte dei principi dà il consiglio di mandare qualche diavolo nel mondo, e alla fine tutti sono d'accordo.

Poiché nessuno si offre *volontario* per questa *impresa*, decidono di *tirare a sorte*; questa cade sull'*arcidiavolo Belfagor* che, prima di cadere dal cielo, era un *Arcangelo*.

angelo

tormento pena fisica, sofferenza, tortura
volontario chi fa qualche cosa di propria volontà
impresa azione importante e difficile
sorte caso, destino; qui, *tirare a sorte* significa scegliere a caso
arcidiavolo capo diavolo
Belfagor è, secondo la Bibbia, il dio di due popoli pagani (i Madianiti e i Moabiti). Adorato soprattutto dalle donne, nella mitologia spesso è identificato con Priapo, dio della fecondità
arcangelo angelo più importante, di grado più alto; la religione cattolica dice che i diavoli erano angeli che si sono ribellati a Dio, e quindi sono caduti dal Cielo nell'Inferno

1. Per comprendere

Vero o Falso?

		V	F
1)	Un uomo santo e onesto va all'Inferno.		☑
2)	Gli uomini affermano che sono all'Inferno a causa delle loro mogli.	☑	
3)	Plutone è il capo di tutti i principi dell'Inferno.	☑	
4)	Plutone e gli altri principi infernali non sono sicuri che gli uomini dicono la verità.	☑	
5)	A Plutone piace decidere tutto da solo.		☑
6)	Subito tutti i principi sono d'accordo con la decisione di mandare nel mondo un solo diavolo a scoprire la verità.		☑
7)	Belfagor chiede di andare nel mondo.		☑
8)	Belfagor era un angelo prima di diventare un diavolo.	☑	

II
Belfagor arriva a Firenze

*B*elfagor accetta questo *incarico* solo perché è un ordine di Plutone.

Si prepara quindi a fare tutto ciò che i principi dei diavoli hanno deciso e ad accettare tutte le condizioni che hanno stabilito.

Le condizioni sono: dare a Belfagor centomila *ducati* con i quali andare nel mondo e, con l'aspetto di un uomo, prendere moglie, vivere con quella dieci anni e poi *fingere* di morire per tornare all'Inferno; quindi, sulla base dell'esperienza fatta, raccontare a Plutone e agli altri principi quali sono le difficoltà del *matrimonio.* Inoltre, durante quei dieci anni Belfagor dovrà fare esperienza di tutti i problemi e le difficoltà che hanno gli uomini: la *povertà*, le *carceri,* la malattia e ogni altro

carcere

incarico lavoro, attività, compito
ducato denaro, soldi; moneta d'oro italiana usata per la prima volta a Venezia e poi anche negli altri Stati italiani e stranieri
fingere fare credere qualcosa che in realtà non è
matrimonio qui, il periodo in cui due persone, un uomo e una donna, sono sposate e vivono insieme; è anche la festa organizzata per il giorno in cui due persone si sposano
povertà situazione in cui vive chi è povero

18

Roderigo (Belfagor) entra con grandi onori a Firenze.

male che può accadere agli uomini nella loro vita; ha però la possibilità di usare l'*inganno* e l'*astuzia* per liberarsene.

Belfagor accetta le condizioni, prende i soldi, e va nel mondo; subito compra alcuni cavalli, prende dei compagni ed entra con grandi onori a Firenze,

Belfagor sceglie di vivere a Firenze: preferisce questa città a tutte le altre perché gli sembra la città più adatta per condurre le sue attività da *usuraio.*

Decide di chiamarsi Roderigo di Castiglia e *prende in affitto* una casa nel *borgo d'Ognisanti*; e, per non rivelare la sua vera natura, dice che da bambino è stato in Spagna, poi è andato in Siria dove, ad *Aleppe*, ha *guadagnato* tutto

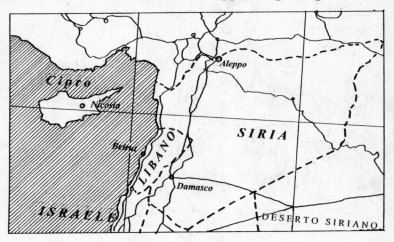

inganno azione non buona né giusta per ottenere qualcosa da qualcuno
astuzia azione che una persona fa per ingannare altre persone
usuraio chi dà denaro in prestito e poi su quel denaro chiede un interesse più alto di quello stabilito dalle banche o dalla legge
prendere in affitto qui, abitare nella casa di altre persone pagando del denaro ogni mese
borgo d'Ognisanti oggi Ognissanti; è un quartiere di Firenze
Aleppe Aleppo, nella Siria nordoccidentale
guadagnare ottenere denaro lavorando

il suo denaro; poi è partito per venire in Italia e prendere moglie in luoghi più umani e più *adatti* alla vita civile e al suo animo.

Roderigo è un uomo bellissimo e dimostra un'età di circa trenta anni; in pochi giorni fa vedere quante ricchezze possiede, e mostra di essere umano e *liberale*, per cui numerosi cittadini che hanno molte figlie e pochi soldi, gli offrono in moglie le proprie figlie: tra tutte queste Roderigo sceglie una bellissima ragazza di nome Onesta, figlia di Amerigo Donati, un uomo che ha altre tre figlie femmine e tre figli maschi. Le femmine sono tutte quasi in età da marito.

Amerigo è di nobile famiglia e tutti a Firenze lo considerano una brava persona ma, in confronto ai suoi amici e agli altri nobili, è poverissimo.

Roderigo *organizza* un matrimonio bellissimo: con feste, *balli* e tutte quelle cose che la gente fa in occasioni simili.

adatto qui, che va d'accordo, che va bene con qualcosa
liberale generoso, che dà e spende per gli altri con piacere
organizzare preparare
ballo movimento del corpo a tempo di musica; per es. il valzer, il tango, ecc. sono balli

2. Per comprendere

Rispondi alle seguenti domande:

1) Perché Belfagor accetta di andare nel mondo?

perche e un ordine di Platone

2) Quali sono le condizioni che Plutone pone a Belfagor?

p. 18

3) Quanti anni Belfagor deve vivere nel mondo?

dieci anni

4) Dove va a vivere quando arriva nel mondo?

a Firenze

5) Che lavoro fa a Firenze?

usuraio

6) Come si fa chiamare?

Roderigo di Castiglia

7) Perché è venuto in Italia?

e prendere moglie

8) Come si chiama la donna che sposa?

Onesta

III
Un matrimonio difficile

*P*resto Roderigo, secondo le condizioni che lui stesso ha accettato prima di uscire dall'Inferno, è *attratto* dalle passioni umane, e subito comincia a provare piacere per gli onori e per le cose belle del mondo e gli fa piacere sapere che gli altri uomini parlano bene di lui; il tipo di vita che conduce è però molto caro e Roderigo spende moltissimo denaro.

Inoltre, dopo poco tempo dal matrimonio si accorge di essere molto *innamorato* di sua moglie, *monna* Onesta; infatti non riesce a vivere se vede che Onesta è triste per una qualche ragione.

Monna Onesta è una donna nobile e bella, ma molto *superba*, più superba dello stesso *Lucifero*. Infatti Roderigo, che conosce bene sia la superbia di Lucifero che quella di sua moglie, giudica la superbia della moglie addirittura superiore a quella di Lucifero.

Appena monna Onesta si accorge che Roderigo la ama moltissimo, diventa ancora più superba: pensa di poterlo *signoreggiare* in ogni situazione, e senza alcuna pietà o rispetto gli dà dei comandi; inoltre, quando lui rifiuta di fare o di darle qualcosa, lei gli dice parole *villane* e *ingiuriose*. Questa situazione causa molte *noie* e *fastidi* a Roderigo. Però il

---

attratto essere molto interessato a qualcosa o a qualcuno
innamorato chi ama un'altra persona
monna parola usata nel Medioevo per "signora"
superbo chi pensa di essere più importante degli altri
Lucifero il capo dei diavoli, famoso per essere molto superbo e cattivo
signoreggiare comandare, dare ordini
villano (agg.) volgare, cattivo, poco civile
ingiurioso che offende
noia qui, pena, problema
fastidio vedi *noia*

...lei gli dice parole villane e ingiuriose.

suocero, i fratelli, i parenti, l'*obbligo* del matrimonio e soprattutto il grande amore che prova per Onesta, lo convincono ad avere pazienza.

Roderigo spende molti soldi per fare felice la moglie, che desidera sempre vestiti nuovi e alla moda - che cambia *continuamente* a Firenze.

Per non avere problemi con Onesta, Roderigo dà anche del denaro al suocero e lo aiuta a sposare le altre sue figlie, e per questa ragione spende moltissimo. Dopo questo, sempre per fare felice la moglie, manda uno dei fratelli di Onesta a *Levante* e un altro a *Ponente* a commerciare *drappi*, e all'altro fratello apre un *battiloro* a Firenze. In queste cose spende la maggior parte delle sue *fortune*. Inoltre nel periodo dei *carnasciali* e di *san Giovanni*, quando

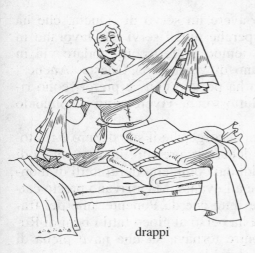

drappi

suocero il padre della moglie
obbligo dovere
continuamente sempre
Levante i Paesi a est dell'Italia
Ponente i Paesi a ovest dell'Italia
fortuna qui, ricchezza
battiloro bottega di oreficeria, dove si batte, cioè si lavora l'oro
carnasciale carnevale; è il periodo che va dal 17 gennaio fino a 40 giorni prima di Pasqua; in Italia sono molto famosi il carnevale di Venezia, Viareggio, Putignano
San Giovanni San Giovanni detto il Battista è il santo protettore di Firenze. La festa si svolge il 24 giugno

tutta la città per antica tradizione fa festa, e molti cittadini *nobili* e ricchi organizzano ricchissimi pranzi, monna Onesta, per non essere inferiore alle altre donne, chiede a Roderigo di superare tutti gli altri con simili feste.

Roderigo *sopporta* tutte queste cose perché l'ama e vuole vivere in pace. Ma tutta la *pazienza* e la *bontà* di Roderigo non bastano a portare la pace in casa, anzi, accade il contrario: la vita di Roderigo diventa sempre più difficile a causa delle forti *spese* e del brutto carattere della moglie.

Roderigo non può avere un servo di fiducia, che ha cura della sua casa, perché tutti i servi che lavorano in casa sua dopo poco tempo preferiscono andare via in quanto non sopportano di vivere con Onesta. Anche i diavoli che Roderigo ha portato con sé preferiscono ritornare all'Inferno piuttosto che vivere sotto il comando di quella donna.

Quando Roderigo si accorge che il suo denaro è finito, comincia a prendere denaro in prestito. Intanto, spera di ottenere un po' di soldi dai commerci dei fratelli di monna Onesta a Ponente e a Levante. Ma arrivano presto cattive notizie sia da Levante che da Ponente: uno dei fratelli di monna Onesta ha perso al gioco tutti i beni di Roderigo, e l'altro, mentre tornava su una nave piena di merci e senza assicurazione, è *annegato* insieme con quelle.

---

nobile come re, principe, duca, conte, ecc.
sopportare accettare qualcosa senza lamentarsi (per es. un dolore, una difficoltà, ecc.)
pazienza il saper aspettare, il non reagire subito e con violenza
bontà l'essere buono
spesa qui, il denaro che una persona spende
annegare morire sott'acqua perché non si riesce a respirare

3. Per comprendere

Senza guardare il testo completa le frasi

1) Roderigo subito comincia a provare piacere per *gli onori e per le cose belle del mondo*

2) Roderigo dopo poco tempo dal matrimonio si accorge *di essere molto innamorato di sua moglie.*

3) Appena monna Onesta si accorge che Roderigo la ama moltissimo *diventa ancora più superba*

4) Quando Roderigo rifiuta di fare o di darle qualcosa, monna Onesta *gli dice parole villane e ingiuriose*

5) Per far felice la moglie, Roderigo *spende molti soldi.*

6) La vita di Roderigo diventa sempre più difficile a causa *delle forti spese e del brutto carattere della moglie.*

7) Quando Roderigo si accorge che il suo denaro è finito *comincia a prendere denaro in prestito.*

8) Uno dei fratelli di monna Onesta, mentre tornava a Firenze, _____

IV
Roderigo fugge da Firenze

I creditori di Roderigo, non appena sanno queste notizie, *si riuniscono* e, poiché pensano che Roderigo non ha più speranze, concludono che è bene osservarlo in modo da impedirgli di fuggire: ma non possono ancora chiedere indietro il loro denaro in quanto non è ancora venuto il tempo dei loro *pagamenti*.

Roderigo, d'altra parte, quando capisce che non c'è una soluzione al suo problema, e poiché ricorda gli obblighi della legge infernale, decide di fuggire: una mattina sale a cavallo, ed esce dalla città attraverso la *Porta al Prato*, vicino alla quale abita.

La notizia della partenza di Federigo si diffonde in città. I suoi creditori, non appena lo sanno, vanno dai

buca

creditore chi deve avere del denaro da qualcuno
riunirsi incontrarsi
pagamento denaro, somma che è necessario pagare
Porta al Prato una delle porte nelle mura della città, per entrare e uscire. Nell'antichità tutte le città avevano mura e porte

Roderigo una mattina sale a cavallo ed esce dalla città attraverso la Porta al Prato...

giudici, e poi cominciano a inseguirlo con gli *ufficiali giudiziari* e con tutto il popolo.

Roderigo è lontano dalla città solo un *miglio* quando sente la gente arrivare; così, per fuggire più facilmente, esce dalla strada principale e va attraverso i campi. Ma nei

Gianmatteo lo nasconde sotto un mucchio di letame...

campi ci sono molte *buche* e allora lascia il cavallo e fugge a piedi. Arriva a *Peretola*, a casa di Gianmatteo del Brica, *lavoratore* di Giovanni del Bene; per fortuna trova Gianmatteo e gli dice che lo renderà ricco se lui lo salverà dalle mani dei suoi nemici, che lo inseguono per farlo morire in *prigione*.

ufficiale giudiziario persona mandata dal giudice, in genere per ottenere un pagamento che qualcuno non ha fatto
miglio unità di misura inglese e americana che corrisponde a 1609 m
buca vedi illustrazione a p. 28
Peretola zona a ovest di Firenze, dove oggi ha sede l'aeroporto
lavoratore chi lavora; qui, chi lavora per qualcuno
prigione vedi carcere, illustrazione a p. 18.

Gianmatteo, contadino e uomo che ha molto coraggio, decide di aiutarlo: lo nasconde sotto un *mucchio* di letame che ha davanti alla sua casa e lo copre con erba e altri pezzi di legna che ha preso per accendere il fuoco. Non appena Roderigo si è nascosto, i suoi creditori arrivano e fanno molte domande a Gianmatteo che però, nonostante le minacce, non risponde a nessuna.

I creditori continuano a cercare Roderigo tutto il giorno e anche il giorno dopo, ma alla fine, stanchi, ritornano a Firenze.

Gianmatteo allora libera Roderigo e gli ricorda la promessa che gli ha fatto.

Roderigo dice: "Amico mio, sei stato molto buono con me e per ringraziarti voglio farti diventare ricco; perciò ti dirò chi sono veramente, così crederai che posso mantenere la promessa."

E gli dice di essere Belfagor, un diavolo, e gli racconta degli ordini che ha avuto prima di uscire dall'Inferno e della moglie che ha sposato; inoltre gli dice in quale modo vuole farlo diventare ricco: Belfagor entrerà nel corpo di una donna e i *parenti* di quella, per liberarla dal diavolo, chiameranno Gianmatteo, e dovranno pagarlo per i suoi servizi. Infatti non appena Gianmatteo si avvicinerà alla donna, Belfagor uscirà dal corpo di quella.

Dopo che ha preso questo accordo, Belfagor se ne va.

---

mucchio notevole quantità, cumulo, insieme di cose/persone riunite in modo disordinato
parente persona di famiglia come zio/a, cugino/a, nonno/a, ecc.

4. Per comprendere

Scelta multipla

1) *Roderigo fugge da Firenze*
   a. a cavallo.
   b. a piedi.
   c. in carrozza.

2) *I creditori di Roderigo*
   a. gli chiedono indietro il loro denaro.
   b. lo mettono in prigione
   c. lo inseguono con gli ufficiali giudiziari.

3) *Roderigo abita*
   a. a Peretola
   b. vicino alla Porta al Prato
   c. a un miglio dalla città

4) *Gianmatteo*
   a. risponde alle domande dei creditori
   b. cede alle minacce dei creditori
   c. salva Roderigo dai creditori

5) *Gianmatteo nasconde Roderigo*
   a. in casa.
   b. davanti alla casa.
   c. dietro la casa.

6) *Non appena Gianmatteo si avvicinerà alla donna
   indemoniata*
   a. Belfagor comincerà a parlare.
   b. Belfagor dirà il suo nome.
   c. Belfagor uscirà dal corpo di quella.

V
Gianmatteo diventa ricco

*D*opo pochi giorni si diffonde per tutta Firenze la notizia che una figlia di *messer* Ambrogio Amidei, moglie di Buonaiuto Tebalducci, è *indemoniata*; i parenti tentano tutte le cure che in simili situazioni si fanno. Ma Roderigo non esce dal corpo della donna perché non ha paura di quelle cure. E per chiarire a ciascuno che il male della donna è uno spirito, cioè un diavolo, e non una fantasia della donna, parla in latino e discute di filosofia e rivela i peccati di molte persone.

Messer Ambrogio è molto triste per sua figlia e, quando oramai ha perso ogni speranza di *guarigione*, Gianmatteo va a trovarlo e gli dice che *guarirà* sua figlia in cambio di cinquecento *fiorini*, che gli servono per comprare un *podere* a Peretola. Messer Ambrogio accetta il patto; allora Gianmatteo prima dice delle parole strane, poi fa alcuni gesti per rendere più interessante la situazione, e infine si avvicina alla donna e le dice all'*orecchio*: "Roderigo, sono io, sono qui per la *promessa* che mi hai fatto."

orecchio

Roderigo gli risponde: "Io sono contento. Ma questo denaro non basta a farti ricco. Dopo che uscirò dal

---

messere parola usata nel Medioevo per "signore"
indemoniato chi ha il diavolo nel proprio corpo
guarigione lo stato di buona salute fisica dopo una malattia
guarire non avere più una malattia
fiorino denaro che si usava a Firenze nel Medioevo
podere pezzo di terra in campagna
promessa ciò che una persona dice che farà nel futuro

Gianmatteo prima dice delle parole strane, poi fa alcuni gesti...

corpo di questa donna entrerò nel corpo della figlia di Carlo re di Napoli; e non ne uscirò mai senza te. Ti farai pagare molto bene per guarirla ma poi non dovrai più cercarmi."

Appena finisce di parlare, Roderigo esce dal corpo della donna, con gioia e *ammirazione* di tutta Firenze.

Dopo non molto tempo per tutta l'Italia si diffonde la notizia che la figlia del re Carlo è indemoniata e nessuno riesce a liberarla dal demonio.

Quando il re sa di Gianmatteo, lo manda a chiamare. Gianmatteo arriva a Napoli, e dopo qualche falsa *cerimonia* la libera dal diavolo che ha in corpo.

Ma Roderigo, prima di uscire dal corpo della figlia del re, dice a Gianmatteo: "Tu vedi, Gianmatteo, io ho *rispettato* la promessa di farti ricco ed ora non ti devo più niente. Pertanto farai bene a non cercarmi e a non incontrarmi più perché se oggi io ti ho fatto del bene, domani ti farei del male."

Gianmatteo torna a Firenze ricchissimo, perché il re gli ha dato più di cinquantamila ducati, e ora pensa di godere di quelle ricchezze in pace, in quanto non crede che Roderigo gli farà veramente del male.

ammirazione sentimento che si prova per qualcuno che fa qualcosa di bello e/o importante
cerimonia azione rituale e solenne propria di una festa o di una celebrazione religiosa
rispettare avere rispetto per qualcuno

5. Per comprendere

Combinare le frasi della colonna A con quelle della colonna B

A

1. Una figlia di messer Ambrogio Amidei
2. I parenti tentano
3. Roderigo non esce
4. Roderigo parla
5. Gianmatteo vuole comprare
6. Gianmatteo guarisce la ragazza
7. Il re di Napoli dà a Gianmatteo
8. Gianmatteo pensa di godere

B

a. tutte le cure.
b. in latino.
c. in cambio di cinquecento fiorini.
d. di quelle ricchezze in pace.
e. dal corpo della donna.
f. è indemoniata.
g. un podere a Peretola.
h. più di cinquantamila ducati.

VI
Il re di Francia chiama Gianmatteo

Presto però arriva una notizia che *preoccupa* molto Gianmatteo: una figlia di Ludovico settimo, re di Francia, è indemoniata. Gianmatteo è preoccupato perché pensa all'importanza di quel re e alle parole che Roderigo gli ha detto.

Ludovico non riesce a trovare alcuna cura per sua figlia e, quando sente parlare delle *capacità* di Gianmatteo, lo manda a chiamare una prima volta per un suo servo; Gianmatteo risponde che non sta bene, ma quel re lo manda a chiamare altre volte e infine chiede ai *governanti* di Firenze di mandarlo. Così Gianmatteo deve *ubbidire* e, triste, va a Parigi. Dice al re che lui sa guarire solo qualche indemoniata, ma non tutte, perché ci sono diavoli così cattivi che non temono né minacce né *incanti* né alcuna *religione*. Con la figlia del re promette di provare e di fare tutto il possibile ma, se non riesce, chiede scusa e perdono già da quel momento. Il re invece gli risponde che, se non guarirà sua figlia, lo ucciderà.

Allora Gianmatteo fa venire la figlia del re, l'indemoniata; quando arriva, le si avvicina, e con rispetto parla a Roderigo: gli ricorda il bene che gli ha fatto e lo prega di non abbandonarlo nella presente difficoltà.

Ma Roderigo risponde: "*Villano traditore*! così, tu hai

---

preoccupare causare nervosismo, preoccupazione
capacità essere capace di fare, saper fare qualcosa
governante qui, persona che ha il governo di una città
ubbidire dire di sì, fare ciò che gli altri ci chiedono di fare
incanto magia; dire parole, formule o fare azioni che hanno effetti soprannaturali su persone o cose
religione come quella cattolica, buddista, protestante, ecc.
villano (nome) persona della campagna, contadino; anche persona senza educazione
traditore persona che non rispetta gli accordi, che non mantiene le promesse

Poi farete fare sulla piazza di Nostra Signora un palco grande capace di contenere tutti i vostri baroni e tutto il clero di questa città...

il coraggio di venirmi davanti! Credi di poter diventare ancora più ricco grazie a me? 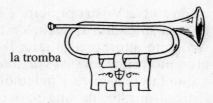 la tromba Bene, voglio mostrare a te e a tutti come io so dare e togliere ogni cosa a mio piacere; e presto ti farò *impiccare* ad ogni modo."

Allora Gianmatteo pensa di tentare la sua fortuna in un altro modo, e cioè con l'astuzia: fa andare via la ragazza indemoniata e dice al re: "*Sire*, come io vi ho detto, ci sono molti spiriti che sono così cattivi che da loro non è possibile liberarsi in nessun modo, e questo è uno di quelli. Pertanto io voglio fare un'ultima prova che, se servirà, la Vostra Maestà e io avremo ciò che vogliamo; se non servirà, io sarò nelle Vostre mani e spero che Voi userete con me quella *compassione* che la mia *innocenza merita*.

Perciò farete fare sulla piazza di Nostra Signora un *palco* grande capace di contenere tutti i vostri *baroni* e tutto il *clero* di questa città; farete mettere intorno al palco *drappi* di seta e d'oro e al centro del palco metterete un *altare*. Domenica mattina Voi con il clero

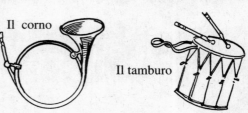

Il corno

Il tamburo

impiccare far morire con una corda intorno al collo perché non si riesce a respirare
sire re
compassione sentimento che si prova per una persona che soffre
innocenza il non avere colpe
meritare essere degno di avere un premio, una lode, una ricompensa
barone persona che ha un titolo nobiliare, come principe, duca, conte
clero l'insieme dei preti, dei vescovi, dei cardinali e del Papa

e con tutti i Vostri principi e baroni, con splendidi e ricchi vestiti vi siederete intorno all'altare; lì celebreremo prima una *messa solenne*, e poi farete venire l'indemoniata. Oltre a questo, da una parte della

cornamusa

piazza devono stare almeno venti persone con *trombe, corni, tamburi, cornamuse, cembanelle, cembali* e ogni altro tipo di strumento; queste persone, quando io alzerò un *cap-*

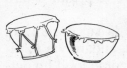

cembanella

cembalo o tamburello

pello, dovranno suonare quegli strumenti e, mentre suonano, verranno verso il palco;

cappello

queste cose, insieme a certi altri rimedi segreti, credo che allontaneranno questo spirito."

Il re, allora, ordina tutto.

---

messa solenne funzione religiosa cantata
trombe, corni, tamburi vedi illustrazioni a p. 39

6. Per comprendere

Rispondi alle seguenti domande:

1) Chi è Ludovico settimo?

_____

2) Che cosa è successo alla figlia di Ludovico?

_____

3) Perché Ludovico manda a chiamare Gianmatteo?

_____

4) Che cosa farà Ludovico se Gianmatteo non riuscirà a guarire sua figlia?

_____

5) Gianmatteo che cosa chiede di fare al re di Francia?

_____

6) Dove devono sedere il re e tutti i principi e i baroni?

_____

7) Quando celebreranno una messa solenne?

_____

8) Quando devono suonare gli strumenti?

_____

VII
Belfagor torna all'Inferno

*L*a domenica mattina il palco è pieno di persone importanti mentre la piazza è piena di gente del popolo. Celebrano la messa, e due *vescovi* e molti signori portano l'indemoniata sul palco.

Quando Roderigo vede tanta gente insieme e un palco così ben preparato, rimane quasi senza parole, e dice fra sé: "Che cosa pensa di fare questo villano? Crede di meravigliarmi con questa *pompa*? Non sa che io sono abituato a vedere le pompe del cielo e le *furie* dell'inferno? Io lo *castigherò* in ogni modo."

Quando Gianmatteo si avvicina a Roderigo e lo prega di uscire, Roderigo gli dice: "Che credi di fare con tutta questa *preparazione*? Credi così di poter fuggire la mia forza e l'*ira* del re? Villano traditore, io ti farò uccidere in ogni modo."

Passa un po' di tempo, mentre Gianmatteo continua a pregarlo di uscire e Roderigo gli dice parole villane, fino a quando Gianmatteo capisce che è inutile perdere altro tempo. Allora alza il cappello, e tutti quelli che hanno gli strumenti musicali si avvicinano al palco e cominciano a suonare così forte che il *rumore* si sente fino in cielo. Roderigo sente questo gran rumore e, poiché non sa che cosa è, molto meravigliato e tutto stupito ne domanda a Gianmatteo la ragione.

Gianmatteo, molto preoccupato, dice: "Ohimé, Roderigo mio! È tua moglie che viene a riprenderti."

---

vescovo prete che è a capo di un gruppo di preti in una diocesi
pompa cerimonia grandiosa e ricca, dimostrazione di grandiosità e ricchezza
furia forza, violenza
castigare dare una pena, una punizione per una colpa
preparazione ciò che si fa per preparare qualche cosa
ira rabbia, sentimento negativo molto forte e improvviso che si prova nei confronti di qualcuno che ci ha fatto del male
rumore suono forte non piacevole, fastidioso

Belfagor, quando torna all'Inferno, racconta...

Roderigo, appena sente che la moglie è lì, senza pensare se la cosa è possibile oppure no, incomincia a stare così male e ad avere tanta paura che, senza dire altro, fugge, e lascia così il corpo della figlia del re: preferisce infatti tornare all'inferno piuttosto che vivere di nuovo l'esperienza del matrimonio con tutti i suoi fastidi, *dispetti* e pericoli.

E così Belfagor, quando torna all'Inferno, racconta tutti i mali che una moglie porta in una casa.

E Gianmatteo, che ha dimostrato di *saperne una più del diavolo*, se ne ritorna tutto contento e molto ricco a casa sua.

dispetto azione che si fa per causare dispiacere o danno ad un'altra persona
saperne una più del diavolo (proverbio) essere più furbo, più intelligente dello stesso diavolo

7. *Per comprendere*

Senza guardare il testo completa le frasi

1) Il palco è pieno di persone importanti mentre la piazza

   _____

2) Gianmatteo prega Roderigo di uscire ma Roderigo _____

   _____

3) Allora Gianmatteo alza il cappello e _____

   _____

4) Quando Roderigo sente il gran rumore_____

   _____

5) Roderigo appena sente che la moglie è lì _____

   _____

6) Belfagor torna all'Inferno _____

   _____

7) Gianmatteo torna a casa contento perché _____

   _____

Esercizi

1. Ricostruisci la storia, mettendo le frasi nell'ordine giusto (I parte)

1. Roderigo, così, entra prima nel corpo della figlia di messer Ambrogio Amidei e poi in quello della figlia del re di Napoli.

2. Belfagor va a Firenze, cambia il suo nome in Roderigo e sposa una donna bellissima di nome Onesta.

3. Plutone e gli altri principi dell'Inferno mandano Belfagor nel mondo per scoprire se è vero che il matrimonio è la causa dell'infelicità degli uomini.

4. Gianmatteo lo protegge dai giudici di Firenze e Roderigo, per ringraziarlo, gli dice qual è il suo vero nome e gli promette di farlo diventare ricco.

5. Quando finisce tutti i soldi, Roderigo è costretto a scappare da Firenze e dalla moglie e, poiché vuole evitare la condanna che i suoi creditori chiedono ai giudici, si nasconde in casa di Gianmatteo.

6. Roderigo e Gianmatteo, infatti, fanno un patto: Roderigo entrerà nel corpo di una donna e ne uscirà solo quando arriverà Gianmatteo che, per liberare la donna indemoniata, si farà pagare molto dai parenti di quella.

7. Dopo il matrimonio, Roderigo si accorge che Onesta è una donna superba e gli rende la vita infelice e più dura di quella dell'Inferno.

L'ordine giusto è: _____

2. Ricostruisci la storia, mettendo le frasi nell'ordine giusto (II parte)

1. Gianmatteo ora non ha più potere su Belfagor e rifiuta di liberare la donna dal diavolo, ma il re di Francia gli dice che lo ucciderà se non libererà sua figlia dal diavolo.

2. E così Gianmatteo torna a casa ricco e soddisfatto perché è riuscito ad ingannare il diavolo.

3. Quando Belfagor sente tutto quel chiasso, Gianmatteo gli dice che la moglie Onesta sta arrivando in Francia per riportarlo a casa.

4. Allora Gianmatteo prepara un piano per ingannare Belfagor e costringerlo ad uscire dal corpo della donna.

5. Qualche tempo dopo però, il diavolo Belfagor entra anche nel corpo della figlia del re di Francia, e il re manda a chiamare Gianmatteo.

6. Gianmatteo libera dal diavolo le due donne, si fa dare molti soldi dai genitori delle ragazze, e ringrazia Roderigo, che gli dice che da quel giorno in avanti Gianmatteo non dovrà più chiedergli niente.

7. Belfagor è così spaventato all'idea di ritornare a vivere con la moglie che esce subito dal corpo della figlia del re di Francia e preferisce tornare all'Inferno, dove dice a Plutone che gli uomini hanno ragione: meglio l'Inferno che il matrimonio.

L'ordine giusto è: _____

3. Completa le frasi con le parole seguenti:

> *torna – decide – lontano – uomini – moglie –*
> *pace – liberare – perché*

1. Minosse, Padanianto e gli altri giudici non capiscono _____ gli uomini si lamentano delle loro mogli.

2. Plutone _____ di incontrare tutti i principi infernali.

3. Lo scopo di Plutone è capire se gli _____ dicono il falso o il vero.

4. Ma tutta la pazienza e la bontà di Roderigo non servono a portare la _____ in casa.

5. Roderigo è _____ dalla città solo un miglio quando sente arrivare la gente.

6. I parenti tentano tutte le cure per _____ l'indemoniata.

7. Gianmatteo _____ a Firenze ricchissimo, perché il re gli ha dato più di cinquantamila ducati.

8. Roderigo appena sente che la _____ è venuta a riprenderlo fugge via.

4. In base alla storia, completa le frasi con una delle parole di seguito elencate

---

figli – figlia – fratelli – marito – moglie – padre – suocero – sorelle

---

1. Roderigo prende in _____ monna Onesta.

2. Messer Amerigo è il _____ di Roderigo.

3. Le figlie di messer Amerigo son tutte in età da _____ .

4. Onesta, la _____ di messer Amerigo, è una bellissima ragazza.

5. Il _____ di Onesta è una brava persona ma, in confronto agli altri nobili di Firenze, è poverissimo.

6. Messer Amerigo ha tre figlie femmine e tre _____ maschi.

7. Roderigo manda i _____ di Onesta a commerciare drappi a Levante e a Ponente.

8. Roderigo dà del denaro a messer Amerigo e lo aiuta a sposare le _____ di Onesta.

5. Completa le frasi con i pronomi diretti

1. Quando Roderigo rifiuta di fare qualcosa, monna Onesta _____ attacca con parole villane.

2. Il padre di Onesta è di nobile famiglia e tutti a Firenze _____ considerano una brava persona.

3. Appena monna Onesta si accorge che Roderigo _____ ama moltissimo diventa ancora più superba.

4. I fratelli di monna Onesta non hanno un lavoro, perciò Roderigo _____ manda a commerciare a Levante e a Ponente.

5. Hai visto Mara e Carla? – No, ma _____ incontrerò stasera al cinema.

6. Il film *La vita è bella* di Benigni ha vinto tre Oscar. Secondo me _____ ha meritati tutti.

7. "Un cornetto, per favore." – "_____ mangia qui o _____ porta via?"

8. I verbi italiani sono difficili ma Georg _____ conosce tutti molto bene.

9. Non trovo il passaporto, forse _____ ho lasciato a casa.

10. Sophia Loren è un'attrice bravissima, _____ preferisco alle attrici di oggi.

6. Completa le frasi con i pronomi indiretti

1. Messer Amerigo non ha molti soldi e allora Roderigo _____ dà del denaro.

2. Belfagor va a vivere a Firenze perché _____ sembra la città più adatta alla sua attività di usuraio.

3. Gianmatteo si avvicina alla donna e _____ dice delle parole strane.

4. Roderigo dice a Gianmatteo: "Sei stato molto buono con me e _____ dirò chi sono veramente".

5. Non _____ piace il cinema, preferisco il teatro.

6. Signora Morelli, _____ posso offrire un caffè?

7. Ragazzi, _____ dispiace spegnere la televisione? Dobbiamo studiare.

8. Il professore _____ ha spiegato l'uso dell'imperfetto ma noi non l'abbiamo capito.

9. A Marcella piace lo scrittore Umberto Eco, perciò _____ ho prestato *Il nome della rosa*.

10. _____ può dare un biglietto per l'autobus?

7. Completa la tabella con i nomi che corrispondono agli aggettivi

Aggettivo	Nome
infernale	*inferno*
falso	
vero	
buono	
giusto	
bello	
povero	
nuovo	
ricco	
vicino	
lontano	
antico	
vecchio	

8. Con le lettere della parola *Belfagor* forma il maggior numero di parole

1. _____
2. _____
3. _____
4. _____
5. _____
6. _____
7. _____
8. _____
9. _____
10. _____
11. _____
12. _____
13. _____
14. _____
15. _____

16. _____
17. _____
18. _____
19. _____
20. _____
21. _____
22. _____
23. _____
24. _____
25. _____
26. _____
27. _____
28. _____
29. _____
30. _____

Punteggio:

10 parole: *bene*
15 parole: *molto bene*
20 o più parole: *eccellente*

9. Collega gli aggettivi della colonna A al loro contrario nella colonna B

A	B
poco	vuoto
triste	povero
nobile	molto
bello	moderno
superbo	agitato
superiore	vecchio
grande	stretto
nuovo	facile
antico	umile
ricco	brutto
difficile	basso
pieno	piccolo
veloce	lento
alto	inferiore
largo	felice
calmo	plebeo

10. Completa la tabella con il femminile o il maschile mancante

Maschile	Femminile
l'uomo	*la donna*
	la regina
il figlio	
il nipote	
	la professoressa
	la studentessa
il giornalista	
	la ragazza
l'impiegato	
	la direttrice
il pittore	
il poeta	
	la scrittrice

11. Completa le frasi con i numerali ordinali

1. Nel 2001 comincia il _____ millennio.

2. Cosa prendi per _____ ? Pollo o pesce?

3. Elisabetta oggi è molto felice, è al _____ cielo.

4. Colombo ha scoperto l'America alla fine del _____ secolo.

5. Non dimenticarlo! L'appuntamento è alle 10 e un _____ .

6. Nel _____ secolo ci sono state due grandi guerre, la I e la II guerra mondiale.

7. Tutti gli esseri umani hanno cinque sensi: la vista, l'udito, il tatto, il gusto e l'olfatto; ma si dice che le donne hanno un _____ senso.

8. Gennaio è il _____ mese dell'anno.

12. Completa la tabella con l'aggettivo o l'avverbio mancante e poi completa le tre frasi in fondo alla pagina

Aggettivo	Nome
umile	*umilmente*
vero	
	facilmente
comodo	
umano	
	civilmente
	felicemente
difficile	
	falsamente
possibile	
onesto	
	piacevolmente
	regolarmente
breve	
forte	
	dolcemente

1. L'avverbio di un aggettivo che finisce per –o si forma
   _____

2. L'avverbio di un aggettivo che finisce per –le oppure –re si forma _____

3. L'avverbio di un aggettivo che finisce per –e si forma
   _____

13. Completa le frasi con alcuni degli avverbi dell'esercizio precedente

1. Non fare il villano: comportati _____.

2. Ora ti racconto _____ la storia che sto leggendo.

3. Marco è un uomo buono e giusto ed è vissuto sempre _____.

4. Tutti hanno accolto _____ la notizia dell'aumento di stipendio.

5. Giovanni impara le lingue straniere molto _____.

6. Devi frequentare _____ le lezioni se vuoi superare l'esame.

7. Non mangio da ieri ed ora ho _____ fame.

8. La domenica mi siedo _____ in poltrona e leggo un libro.

14. Completa il testo con le preposizioni

Belfagor prende i soldi, e va 1 _____ mondo; subito prende alcuni cavalli e compagni, ed entra 2 _____ grandi onori 3 ___ Firenze; Belfagor sceglie 4 _____ vivere 5 _____ Firenze perché gli sembra la città più adatta 6 _____ sue attività 7 _____ usuraio. Sceglie il nome 8 _____ Roderigo 9 _____ Castiglia, prende una casa 10 _____ affitto 11 _____ borgo d'Ognisanti; e per non rivelare la sua vera natura, dice che 12 _____ bambino era 13 _____ Spagna, poi è andato 14 _____ Siria, dove, 15 _____ Aleppo, ha guadagnato tutto il suo denaro; poi è partito 16 _____ l'Italia per prendere moglie 17 _____ luoghi più umani e più adatti 18 _____ vita civile e 19 _____ suo animo. Roderigo è un bellissimo uomo e dimostra un'età 20 _____ circa trenta anni; 21 _____ pochi giorni fa vedere quante ricchezze possiede, e mostra 22 _____ essere umano e liberale, 23 _____ cui i nobili 24 _____ città che hanno molte figlie e pochi soldi, gli offrono 25 _____ moglie le proprie figlie: 26 _____ tutte queste Roderigo sceglie una bellissima ragazza 27 _____ nome Onesta, figlia 28 _____ Amerigo Donati, un uomo che ha altre tre figlie femmine e tre figli maschi. Le femmine sono tutte quasi 29 _____ età 30 _____ marito. Amerigo è 31 _____ nobile famiglia e tutti 32 _____ Firenze lo considerano una brava persona ma, 33 _____ confronto 34 _____ suoi amici e 35 _____ altri nobili, è poverissimo. Roderigo organizza un matrimonio bellissimo: 36 _____ feste, balli e tutte quelle cose che la gente fa 37 _____ occasioni simili.

15. Coniuga al presente i verbi in parentesi

Roderigo è lontano dalla città solo un miglio quando (sentire) 1_____ la gente arrivare e quindi, per fuggire più facilmente, (uscire) 2_____ dalla strada principale e (andare) 3_____ attraverso i campi. Ma nei campi (esserci) 4_____ molte buche e allora (lasciare) 5_____ il cavallo e (fuggire) 6_____ a piedi. (Arrivare) 7_____ a Peretola a casa di Gianmatteo del Brica, lavoratore di Giovanni del Bene; per fortuna (trovare) 8_____ Gianmatteo e gli (dire) 9_____ che lo farà ricco se lui lo salverà dalle mani dei suoi nemici, i quali lo (inseguire) 10_____ per farlo morire in prigione. Gianmatteo, contadino e uomo che (avere) 11_____ molto coraggio, (decidere) 12_____ di aiutarlo: lo (mettere) 13_____ sotto un mucchio di letame che (avere) 14_____ davanti alla sua casa e lo (coprire) 15_____ con erba e pezzi di legna che ha preso per accendere il fuoco. Non appena Roderigo si è nascosto, i suoi creditori (arrivare) 16_____ e (fare) 17_____ molte domande a Gianmatteo che però, nonostante le minacce, non (rispondere) 18_____ a nessuna. I creditori (continuare) 19_____ a cercare Roderigo tutto il giorno e anche il giorno dopo, ma alla fine stanchi (ritornare) 20_____ a Firenze. Gianmatteo allora (liberare) 21_____ Roderigo e gli (ricordare) 22_____ la promessa che gli ha fatto.

16. Unisci le due frasi come nell'esempio:

> I diavoli ritornano all'inferno. Non possono vivere sotto il comando di monna Onesta.
> *I diavoli __preferiscono__ ritornare all'inferno __piuttosto che__ vivere sotto il comando di monna Onesta.*

1. Plutone chiede consiglio a tutti i principi infernali. Non vuole prendere una decisione da solo.

2. Roderigo dà del denaro al suocero e lo aiuta a sposare le altre figlie. Non vuole avere problemi con Onesta.

3. Roderigo fugge da Firenze. Non vuole andare in prigione.

4. Gianmatteo tenta di liberare dal demonio la figlia del re di Francia. Non vuole morire impiccato.

5. Belfagor torna all'inferno. Non vuole incontrare di nuovo Onesta.

6. Cammino a piedi. Non prendo l'autobus senza avere il biglietto.

7. Vivo da solo. Non sposo una donna che non amo.

8. I ragazzi di oggi giocano con i videogiochi. Non leggono buoni libri.

17. Collega i seguenti proverbi con la spiegazione appropriata:

1. Chi dice donna dice danno.
2. Donna al volante, pericolo costante.
3. La donna ne sa una più del diavolo.
4. Donna (moglie) e buoi dei paesi tuoi.
5. Chi donne pratica, giudizio perde.
6. Donna, padella e lume sono gran consumo.
7. Donna e fuoco toccali poco.
8. Dal mare sale e dalla donna male.
9. Abbi donna di te minore se vuoi essere signore.

a. Chi frequenta le donne perde il senno, la ragione.

b. È bene che un uomo non sposi una donna superiore a sé, se vuole dominare, comandare.

c. Una donna è sempre causa di danni, dispiaceri, problemi.

d. Le donne alla guida di un'automobile costituiscono sempre un pericolo.

e. È bene non avvicinarsi, non toccare troppo né la donna né il fuoco.

f. È consigliabile sposare una conterranea, che ha gli stessi usi e costumi.

g. Come dal mare proviene il sale, così da una donna proviene soltanto il male.

h. Le donne spendono, consumano molto, come la padella e il lume, che consumano molto olio.

i. Le donne sono molto furbe, più dello stesso diavolo.

18. Discuti con i tuoi compagni e/o con l'insegnante

1. Conoscevi già la storia di Belfagor arcidiavolo?

_____

2. Esiste una versione di questa storia, o una storia simile, nella tua lingua?

_____

3. Quali sono, nel tuo Paese, i luoghi comuni sulla donna?

_____

4. Esistono nel tuo Paese proverbi simili a quelli italiani?

_____

Note

Chiavi

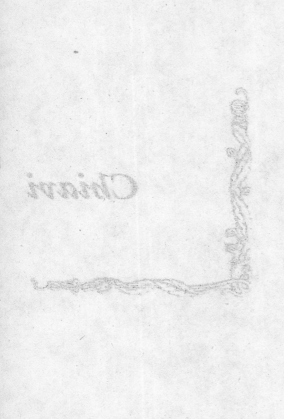

Per comprendere

1. Per comprendere, p. 17
Vero: 2, 3, 4, 8.   Falso: 1, 5, 6, 7.

2. Per comprendere, p. 22
1. Perché è un ordine di Plutone.

2. Prendere centomila ducati, andare nel mondo e prendere moglie.

3. Dieci anni.

4. A Firenze.

5. L'usuraio.

6. Roderigo di Castiglia.

7. Per prendere moglie.

8. Onesta.

3. Per comprendere, p. 27
1. gli onori e per le cose belle del mondo.

2. di essere molto innamorato della propria moglie.

3. diventa ancora più superba.

4. gli dice parole villane e ingiuriose.

5. spende molti soldi/spende la maggior parte delle sue fortune

6. delle forti spese e del brutto carattere di Onesta.

7. comincia a prendere denaro in prestito.

8. è annegato.

4. Per comprendere, p. 32

1a, 2c, 3b, 4c, 5b, 6c.

5. Per comprendere, p. 36

1f 2a 3e 4b 5g 6c 7h 8d.

6. Per comprendere, p. 41

1. Il re di Francia.

2. È indemoniata.

3. Perché ha sentito parlare delle sue capacità.

4. Lo ucciderà/lo farà impiccare.

5. Fare un palco grande capace di contenere tutti i baroni e il clero della città.

6. Intorno all'altare.

7. Domenica mattina.

8. Quando Gianmatteo alzerà un cappello.

7. Per comprendere, p. 45

1. è piena di gente del popolo.

2. gli dice parole villane/ gli dice che lo farà uccidere in ogni modo.

3. tutti quelli che hanno gli strumenti musicali cominciano a suonare.

4. è molto meravigliato e ne domanda la ragione a Gianmatteo.

5. incomincia a stare male e senza dire altro fugge.

6. e racconta tutti i mali che una moglie porta in casa.

7. ha dimostrato di saperne una più del diavolo.

Esercizio 1
3, 2, 7, 5, 4, 6, 1.

Esercizio 2
6, 5, 1, 4, 3, 7, 2.

Esercizio 3
1. perché 2. decide 3. uomini 4. pace 5. lontano 6. liberare
7. torna 8. moglie.

Esercizio 4
1. moglie 2. suocero 3. marito 4. figlia 5. padre 6. figli 7. fratelli
8. sorelle.

Esercizio 5
1. lo (l') 2. lo 3. la (l') 4. li 5. le 6. li 7. Lo, lo 8. li 9. lo (l')
10. la.

Esercizio 6
1. gli 2. gli 3. le 4. ti 5. mi 6. Le 7. vi 8. ci 9. le 10. Mi/ci.

Esercizio 7
Falso-falsità, vero-verità, buono-bontà, giusto-giustizia, bel-
lo-bellezza (beltà: poetico), povero-povertà, nuovo-novità, ric-
co-ricchezza, vicino-vicinanza, lontano-lontananza, antico-antichità,
vecchio-vecchiaia/vecchiezza.

Esercizio 8
1. gola 2. faro 3. regalo 4. bare 5. gela 6. era 7. fare 8. gerla 9.
lago 10. lega 11. belga 12. bela 13. golf 14. elfo 15. ago
16. gare 17. gora 18. gelo 19. belar 20. gelar 21. erba 22. lego
23. baro 24. Elga (n. proprio) 25. Febo.

Esercizio 9

triste-felice, nobile-plebeo, bello-brutto, superbo-umile, superiore-inferiore, grande-piccolo, nuovo-vecchio, antico-moderno, ricco-povero, difficile-facile, pieno-vuoto, veloce-lento, alto-basso, largo-stretto, calmo-agitato.

Esercizio 10

il re, la figlia, la nipote, il professore, lo studente, la giornalista, il ragazzo, l'impiegata, il direttore, la pittrice, la poetessa, lo scrittore.

Esercizio 11

1. terzo 2. secondo 3. settimo 4. quindicesimo 5. quarto 6. ventesimo 7. sesto 8. primo.

Esercizio 12

veramente, facile, comodamente, umanamente, civile, felice, difficilmente, falso, possibilmente, onestamente, piacevole, regolare, brevemente, fortemente, dolce.

Esercizio 13

1. civilmente, 2. brevemente, 3. onestamente, 4. felicemente, 5. facilmente, 6. regolarmente, 7. veramente, 8. comodamente.

Esercizio 14

1. nel 2. con 3. a 4. di 5. a 6. alle 7. da/di 8. di 9. di 10. in 11. nel 12. da 13. in 14. in 15. ad 16. per 17. in 18. alla 19. al 20. di 21. in 22. di 23. per 24. della 25. in 26. tra (fra) 27. di 28. di 29. in 30. da 31. di 32. a 33. in 34. ai 35. agli 36. con 37. in.

Esercizio 15

1. sente 2. esce 3. va 4. ci sono 5. lascia 6. fugge 7. arriva 8. trova 9. dice 10. inseguono 11. ha 12. decide 13. mette 14. ha 15. copre 16. arrivano 17. fanno 18. risponde 19. continuano 20. ritornano 21. libera 22. ricorda.

74

Esercizio 16

1. Plutone preferisce chiedere consiglio a tutti i principi infernali piuttosto che prendere una decisione da solo.

2. Roderigo preferisce dare del denaro al suocero e aiutarlo a sposare le altre figlie piuttosto che avere problemi con Onesta.

3. Roderigo preferisce fuggire da Firenze piuttosto che andare in prigione.

4. Gianmatteo preferisce tentare di liberare dal demonio la figlia del re di Francia piuttosto che morire impiccato.

5. Belfagor preferisce tornare all'inferno piuttosto che incontrare di nuovo Onesta.

6. Preferisco camminare a piedi piuttosto che prendere l'autobus senza avere il biglietto.

7. Preferisco vivere da solo piuttosto che sposare una donna che non amo.

8. I ragazzi di oggi preferiscono giocare con i videogiochi piuttosto che leggere buoni libri.

Esercizio 17

1. c   2. d   3. i   4. f   5. a   6. h   7. e   8. g   9 b.

Esercizio 18

Le risposte sono libere.

Titoli già pubblicati

L. da Vinci	*La Regola francescana*	(P)
G. Boccaccio	*Federigo e il suo falcone*	(E)
G. Boccaccio	*Frate Cipolla e la penna dell'arcangelo Gabriele*	(E)
G. Boccaccio	*Madonna Filippa - Melchisedech e il Saladino*	(E)
N. Machiavelli	*Belfagor*	(E)
G. B. Basile	*L'ignorante*	(I)
G. Gozzi	*La risposta della serva - Novella d'amore*	(I)
G. Verga	*Cavalleria rusticana*	(I)
L. Sciascia	*Il lungo viaggio*	(A)
E. De Amicis	*Dagli Appennini alle Ande*	(A)

In preparazione
S. Tamaro   *Va' dove ti porta il cuore*

Finito di stampare nel mese di aprile 2002
da Guerra guru s.r.l. - Via A. Manna, 25 - 06132 Perugia
Tel. +39 075 5289090 - Fax +39 075 5288244
E-mail: geinfo@guerra-edizioni.com